Le cinéma, c'est la lumière dans le noir.

Henri Langlois

Ce livre est dédié à Henri Alekan et Huub Bals

Cinema
is a light that
shines in the dark.
Henri Langlois

30 ANS / FESTIVAL INTERNATIONAL DU NOUVEAU CINÉMA ET DES NOUVEAUX MÉDIAS DE MONTRÉAL

la fondation Daniel Langlois
pour l'art, la science
et la technologie

Les Nouveaux Cinémas

Photos de Jacques Dufresne

Introduction de Daniel Langlois
Préface de Wim Wenders

30 Ans de "Nouveau Cinéma"

30 Years of "New Cinema"

L'année 2001 est marquée par la célébration du 30e anniversaire du Festival international du nouveau Cinéma et des nouveaux Médias de Montréal (FCMM).

Fondé en 1971 par Dimitri Eipides et Claude Chamberlan, le Festival a connu bien des incarnations avant de devenir l'événement d'envergure internationale qu'il est aujourd'hui. Au fil des ans il a toujours su garder sa fougue, sa passion et son véritable amour d'un cinéma différent de celui dont les réseaux de salles commerciales nous abreuvent — d'un « nouveau cinéma », en quelque sorte.

Des créateurs tels que Wim Wenders, Peter Greenaway, Aki Kaurismäki, Jane Campion, Léa Pool, François Girard, Spike Lee, Atom Egoyan, Bill Viola, Abbas Kiarostami, Wong Kar-wai, Raúl Ruiz, Jean-Luc Godard, Aleksandr Sokurov, Johan van der Keuken, Lars Von Trier, Pedro Almodóvar, Werner Herzog, Marguerite Duras, Souleymane Cissé, Claire Denis, Jim Jarmusch, Steina et Woody Vasulka, Richard H. Kirk, Thomas Köner, [The User] et tant d'autres ont laissé leur marque sur ce Festival unique en son genre. Découvreur de nouveaux talents, amateur de création de toutes sortes, le Festival fut aussi l'un des premiers événements cinématographiques au monde à s'ouvrir à la vidéo, dans les années 80, puis aux nouveaux médias, au cours des années 90.

Au fil des ans, Jacques Dufresne, photographe-portraitiste québécois de grand talent et ami de longue date du Festival (son photographe attitré depuis 1983), a transmis avec passion l'idée de créer un livre commémoratif sur l'événement à ceux et celles qui ont accepté de se prêter au jeu de la mémoire devant sa caméra. Pour célébrer comme il se doit ce 30e anniversaire, Jacques Dufresne ouvre donc véritablement pour la première fois cette année ses coffres aux trésors, tandis que le designer-affichiste français Benjamin Baltimore vient y mettre sa griffe, afin d'offrir aux cinéphiles ce livre unique.

Les Nouveaux Cinémas entend rendre hommage à l'événement et à ceux qui l'ont inspiré — et qui le font encore aujourd'hui ! Ainsi, à travers les portraits de quelque deux cents artistes qui ont hanté les salles obscures du Festival depuis 1983, c'est une partie de l'histoire de ces « nouveaux cinémas » qui se dessine.

2001 is a special year as it marks the 30th anniversary of Montreal's international Festival of new Cinema and new Media (FCMM). Launched in 1971 by Dimitri Eipides and Claude Chamberlan, the Festival has gone through various incarnations before becoming the major international event it is today.

Throughout the years, the Festival has always kept its fresh spirit burning, its passion, and its true love of cinema, or "new cinema" — so different from the mainstream and commercial productions omnipresent in most movie theaters.

Innovative creators such as Wim Wenders, Peter Greenaway, Aki Kaurismäki, Jane Campion, Léa Pool, François Girard, Spike Lee, Atom Egoyan, Bill Viola, Abbas Kiarostami, Wong Kar-wai, Raúl Ruiz, Jean-Luc Godard, Aleksandr Sokurov, Johan van der Keuken, Lars Von Trier, Pedro Almodóvar, Werner Herzog, Marguerite Duras, Souleymane Cissé, Claire Denis, Jim Jarmusch, Steina & Woody Vasulka, Richard H. Kirk, Thomas Köner, [The User] and many other artists have given us provocative, raw, thoughtful, awe-inspiring works that have nurtured others and left their indisputable mark on this event. Thanks to them, new talents, technologies and all forms of creations have been discovered here — in the 1980s, the Festival was one of the first world cinematic events to open its doors to video and then new media, later in the 1990s.

For a long time now, Jacques Dufresne, a talented Quebec portrait photographer and long-standing friend of the Festival (he has been taking pictures for it since 1983), was passionate about publishing a commemorative book dedicated to all the personalities who have accepted to sit for his lens.

Thus, in order to honour and celebrate the Festival's 30th anniversary, he has opened his treasure chest of celluloid souvenirs and has collaborated with French designer and art director Benjamin Baltimore — who has agreed to leave his indelible mark —, to give film lovers this unique book of memories.

Les Nouveaux Cinémas will pay homage to the Festival and to those who have inspired it until today. Through these two hundred artists who have passed through the halls and screening rooms of the Festival since 1983, the history of "new cinema" is finally revealed, thanks to its intrepid explorers.

Daniel Langlois

A Declaration

There are lots of film festivals.
Some are a big circus.
Some are a pain.
Some are family affairs.
Some are boring.
Some are interesting.
Some are pretentious.
Some can be fun sometimes,
but not all the time…

And there is Montreal.
The international Festival of new Cinema and new Media,
to be precise,
and not to be confounded.

This festival is very special.
First of all, it is entirely driven by film nuts.
Second, you can count on it being adventurous.
Third, it always changes.
Fourth, it somehow manages each time to turn into sheer pleasure.
Fifth, there is no pressure or stress
(at least for "us guests").
Sixth, you can count on meeting all those friends
that you never meet at any other festival,
even if they're there at the same time as you are.
Seventh, it is a great excuse to come to Montreal.

Seven good reasons
to be happy
about the Festival's 30ᵗʰ anniversary.
And to congratulate the founders,
Dimitri Eipides and Claude Chamberlan,
to congratulate its tireless friend, art director Benjamin Baltimore,
and last but not least,
to congratulate its generous "patron,"
Daniel Langlois.

"Le Festival du nouveau Cinéma et des nouveaux Médias"
wouldn't be what it is,
if it hadn't come up with a surprise
for its 30ᵗʰ birthday.
You're holding it in your hands.
A book of photographs.
No, much more than that.
An encyclopaedia.
A time travel log.
Whatever you call it,
I love the thing and all the pictures in it.
It presents a very unique view
of the history of cinema
over the last 30 years.
You're not just looking at faces…

Let me explain what I mean.
Festivals are egocentric events,
egomaniac, megalomaniac.
The rule is: They just eat you up.
They just swallow your movie whole
and don't even digest it.
They're "cinevorous," so to speak.
FCMM Montreal isn't like that.
It gives you something back in return.
Friendship, attention, care.
You don't just show your film and travel on.
You share it.

Once I was supposed to present a new film of mine,
sort of a Japanese diary about my favourite director,
Yasujiro Ozu.
The print of *Tokyo-Ga*, though programmed,
didn't get ready in time.
So there I was, without a movie,
just talking about Ozu with the audience
and watching one of his films with them.
It was a long night,
and maybe the most memorable one
in my long festival history.

OF love

The next year I came back
and showed my film to the same audience.
Only this time I had added a dedication in the beginning:
"To a very patient audience in Montréal…"
Hey, when do you ever dedicate a film to a festival audience?
Only when you know
this Festival of new Cinema and new Media
you aren't astonished about such an homage.
It is, indeed, unique.

This book for instance,
is a great gift
to the directors, authors and the other guests
who visited the Festival over the years.
Leafing through it,
recognizing old friends or acquaintances,
and among all of them myself,
I discovered a whole different sense of time.
I saw all these faces,
and a different perspective of the history of cinema opened up.
I realized
how all these people were a product of their time,
OUR time,
and how their characters were shaped by their experiences.
But above all, what they had in common
was just that:
Our love for the art of the moving image.

Maybe it's the fact
that one single eye looked at all these people
and witnessed their presence:
Jacques Dufresne.
Maybe it's his make-shift studio,
that made everybody so relaxed,
and let them be so much themselves.

Maybe it was just Jacques' good luck,
that his "first customer"
who started this whole series
was no other than Henri Alekan,
the master of light and shadow himself…
(Sadly, Henri has deceased,
a few weeks before this book was born.)

Whatever it was that ignited Jacques' energy
and that allowed him to follow this project through
over 18 years or so,
(maybe it was Luc Caron's good spirit
watching over Jacques' shoulder as a guardian angel)
but here it is:
A unique present and testimony.

As a filmmaker
who has come to Montreal quite a few times over the years
and who has seen as well the many changes
of the Festival of new Cinema
as its single ever-constant characteristic
of being the festival that cares,
I say "Merci beaucoup."
For the 30 years,
for this book,
for your spirit
and for the simple fact
that you are
what you are.

Los Angeles, August 2001

Wenders

8
9

Une déclaration

Il existe beaucoup de festivals.
Certains sont de véritables cirques.
Certains sont pénibles.
Certains sont des affaires de famille.
Certains sont ennuyants.
Certains sont intéressants.
Certains sont prétentieux.
Il y en a même qui peuvent être amusants,
mais pas tout le temps...

Et puis, il y a Montréal.
Le Festival international du nouveau Cinéma et des nouveaux Médias,
pour être plus précis,
et, surtout, à ne pas confondre...

Ce festival a quelque chose d'unique.
Un, il est dirigé par de vrais maniaques de cinéma.
Deux, il sait prendre des risques.
Trois, il se renouvelle constamment.
Quatre, il réussit chaque fois à n'être que pur plaisir.
Cinq, il n'y a aucune pression ni aucun stress
(du moins pour nous, « les invités »).
Six, on y croise à coup sûr tous ces amis
qu'on ne rencontre jamais dans les autres festivals,
même lorsqu'on s'y trouve pourtant tous en même temps.
Sept, c'est une trop belle excuse pour se rendre à Montréal.

Sept bonnes raisons
de se réjouir
du 30ᵉ anniversaire du Festival.
Et de féliciter ses fondateurs,
Dimitri Eipides et Claude Chamberlan,
de féliciter son infatigable ami, le directeur artistique Benjamin Baltimore,
sans oublier, enfin,
de féliciter son généreux « mécène »
Daniel Langlois.

Le Festival du nouveau Cinéma et des nouveaux Médias
ne serait pas ce qu'il est
s'il n'avait pas mijoté une surprise
pour célébrer son 30ᵉ anniversaire.
Vous la tenez entre vos mains.
Un livre de photographies.
Non. Bien plus que cela.
Une encyclopédie.
Le récit d'un voyage dans le temps.
Mais peu importe le nom dont vous l'affublerez,
j'aime cette chose et toutes les photographies qui s'y trouvent.
Elle présente un point de vue tout à fait unique
sur l'Histoire du cinéma
des 30 dernières années.
Car ce ne sont pas que des visages que vous y contemplez...

Laissez-moi vous expliquer ce que je veux dire.
Les festivals sont des manifestations égocentriques,
égoïstes, mégalo-maniaques.
La règle générale y est la suivante : ils vous dévorent tout crus.
Ils avalent votre film d'une traite
sans même prendre le temps de le digérer.
Ils sont « cinévores », si vous préférez.
Le FCMM de Montréal n'est pas comme cela.
Il vous donne quelque chose en retour.
De l'amitié, de l'attention.
Il vous étreint.
Vous ne faites pas que présenter votre film, puis poursuivre votre chemin.
Vous le partagez.

Une année, je devais y présenter un nouveau film,
une sorte de journal japonais sur mon réalisateur préféré,
Yasujiro Ozu.
La copie de *Tokyo-Ga*, bien que programmée,
n'avait pu être terminée à temps.
Alors, j'étais là, tout seul, sans film.
J'ai parlé simplement d'Ozu avec les gens présents
et regardé un de ses films avec eux.
Ce fut une longue nuit,
et peut-être même l'une des plus mémorables
qu'il m'ait été donné de vivre
au cours de mes nombreuses années passées à errer d'un festival à l'autre.

d'amour

L'année suivante, je suis revenu
et j'ai montré mon film à ces mêmes gens.
Seulement, cette fois-ci, j'y avais ajouté une dédicace, au début :
« À un public très patient de Montréal... »
Dites-moi, avez-vous déjà vu un film dédié à un public de festival ?
Lorsqu'on connaît
ce Festival du nouveau Cinéma et des nouveaux Médias,
on ne s'étonne pas vraiment d'un tel hommage.
Son public est unique, véritablement.

Ce livre, par exemple,
est un merveilleux cadeau
aux cinéastes, auteurs et autres invités
qui ont visité le Festival au fil des années.
En tournant les pages,
en revoyant les vieux copains et les connaissances,
et puis moi aussi, au milieu de tous ceux-ci,
j'ai découvert un tout nouveau sens du temps qui passe.
En voyant tous ces visages,
j'ai vu émerger une perspective différente sur l'Histoire du cinéma.
J'ai réalisé
à quel point chacun de ces individus est un produit de son temps,
de NOTRE temps,
et comment chacune de leurs personnalités a été façonnée par leurs expériences.
Mais, par-dessus tout, j'ai vu ce qu'ils avaient tous en commun,
une chose toute simple :
notre amour pour cet art du cinéma, pour ces images en mouvement.

Peut-être est-ce dû au fait
qu'un regard unique s'est posé sur tous ces gens
pour témoigner de leur présence :
celui de Jacques Dufresne.
Peut-être est-ce son petit studio improvisé,
qui a si bien réussi à accueillir tous ces gens,
et les laisser être eux-mêmes.

Peut-être, après tout, n'est-ce pas un hasard, mais bien une chance,
si le premier « client » de Jacques
— celui qui a commencé toute la série —
ne fut nul autre que Henri Alekan,
le maître des ombres et des lumières en personne...
(Tristement, Henri est décédé
quelques semaines à peine avant que ce livre naisse.)

Peu importe ce qui a enflammé Jacques
et lui a permis de mener ce projet à bien
tout au long de ces quelque 18 dernières années
(peut-être est-ce l'esprit de Luc Caron,
perché sur son épaule, comme un ange gardien),
mais le voici enfin, ce projet :
un cadeau, un témoignage exceptionnel.

Moi, en tant que cinéaste
ayant visité Montréal plusieurs fois au fil du temps,
ayant vu aussi, à travers tes multiples transformations,
Festival du nouveau Cinéma,
que ta seule et unique constante
est d'être le festival qui prend le cinéma à cœur,
je te dis : merci beaucoup.
Pour ces 30 années,
pour ce livre,
pour ton âme
et, simplement,
parce que tu es
ce que tu es.

10
11

Wim Wenders
Los Angeles, Août 2001

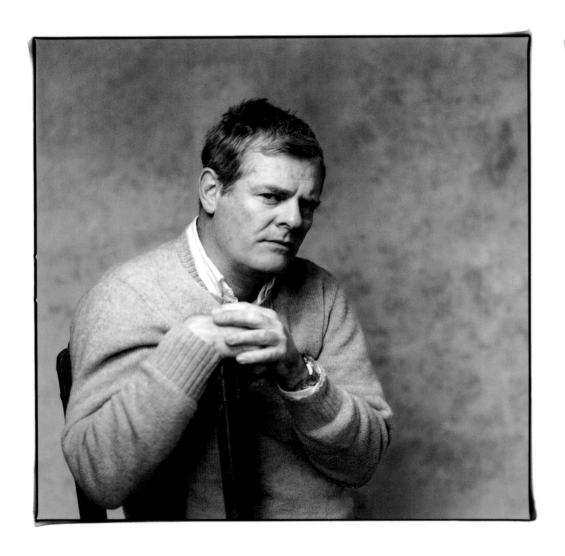

Paul Morrissey   1988   *Spike of Bensonhurst*   Ron Mann   1988   *Comic Book Confidential*

Manuel Costa e Silva   1988   *A Moura Encantada* [*La Mauresque enchantée*]

Peter Watkins   1983   *The War Game*   Monika Treut   1991   *My Father Is Coming*

Béla Tarr   1984   *Öszi almanach* [*Autumn Almanach*]

Sophie Fillières   2000   *Aïe*

Beth B 1992 *Stigmata et Amnesia*

Latino Pellegrini 1996 *Toast With the Gods*

Loïc Connanski 1996   Rétrospective Connanski   Don McKellar 1998 *Last Night*

Joshua Leonard 1997

Péter Forgács   2000   *Angelos' Film* et *The Danube Exodus*

Yann Beauvais 2000   *Des Rives* et *Work and Progress*   Attila Janisch 1992   *Árnyék a havon* [*Shadow on the Snow*]

Marc Singer   2000   *Dark Days*

Pascale Bussières   1998   *Un 32 août sur Terre*

Jacques Doillon   1999   *Petits Frères*

Vincent Ravalec   2000   *L'Odyssée merveilleuse de l'idiot Tobbogan*   Artavazd Pelechian   1999   Fresques frénétiques : Artavazd Pelechian – Hommage

Arthur Lamothe   2000

Marcel Ophüls   1988   *Hôtel Terminus : Klaus Barbie et son temps*

Mike Hoolboom   1999   *Panic Bodies*

Jean Douchet   1999   Nouvelle(s) Vague(s) — Rétrospective

Silvio Soldini 1985 *Giulia in ottobre* [*Giulia en octobre*] et *Paesaggio con figure* [*Paysage avec figures*]   Silvio Soldini / Mini Ferrara / Kiko Stella 1985

Kiko Stella   1985   *Live et Rosso di sera [Rouge du soir]*   Dante Majorana   1985   *Nell'acqua [Dans l'eau]*

Bill Brown   2000   *Confederation Park*   Agnès Varda   2000   *Les Glaneurs et la Glaneuse*

Bruce La Bruce   2000   *Hustler White*

Peter Wintonick   1999   *Cinéma vérité : le moment décisif / Defining the Moment*

Maria Beatty   1989   *Gang of Souls*

Roger Stigliano   1989   *Fun Down There*

André Turpin   1995   *Zigrail*   Denis Villeneuve   1998   *Un 32 août sur Terre*

Agnieszka Holland   1986   *Kobieta samotna* [*A Woman on her Own*]   Luís Vidal Lopes   1988   *Mensagem* [*Message*]

Lilly Lack 1986 *Sheila*   André Forcier 1988 *Kalamazoo*

Bette Gordon   1983   *Variety*

Michele Avantario   1983   Video via Italia — Rétrospective

Michèle Cournoyer   2000   *Le Chapeau*

François Girard   1999   Nouvelles de Chine — Rétrospective   François Girard   1988   *Mourir*

Char Davies 1994

Bill Viola   1984   Bill Viola : une anthologie — Hommage

Gérard Courant 1985   *Cinématon*

« Dive In » — Un maillot, un tuba, un masque, une projection   1995 / 1998

Anne-Marie Miéville   1988   *Mon cher sujet*   Patrick Straram, le Bison ravi   1985

Marceline Loridan-Ivens 1988 *Une histoire de vent*

Annie Sprinkle / Maria Beatty   1992
The Sluts and Goddesses Video Workshop

Claude Chamberlan / Annie Sprinkle / Maria Beatty   1992

Ulrike Ottinger / Maxi Cohen / Laurence Gavron / Bette Gordon   1986
Seven Women Seven Sins

Michael Moore & Co. (Robert Wilhelm / Kathleen Glynn / Wendey Stanzler / Rod Birleson)   1989
Roger and Me

Spike Lee   1986   *She's Gotta Have It*

Spike Lee   1983   *Joe's Bed-Stuy Barbershop: We Cut Heads*

Tracy Camilla Johns   1986   *She's Gotta Have It*

Mark Rappaport 1992   *Rock Hudson's Home Movies*   Jacques Leduc 1985

Olivier Assayas 1986 *Désordre*

Tom McCamus / Robert Lepage   2000   *Possible Worlds*

Al Pacino   1997   *Looking for Richard*

Rob Tregenza   1988   *Talking to Strangers*   Claire Denis   1988   *Chocolat*

Katherine Liberovskaya   1989   *Frozen Ink*

Susan Sontag   1983   *Unguided Tour* [*Giro turistico senza guida*]

Michael Waite   1989   *Fun Down There*

Theo Angelopoulos   1991   *To Meteoro vima tou pelargou* [*Le Pas suspendu de la cigogne*]

Léa Pool 1984

Boris Lehman 1987 *Muet comme une carpe*

Anna Thomson   2000   *Fast Food, Fast Women*

Sandra Oh   1995   *Double Happiness*

Jean-Pierre Limosin   1986   *Gardien de la nuit*

Carl Loeffler   1983   La Mamelle — Rétrospective

Ken Kobland   2000   *Arise! Walk Dog Eat Donut*   Philip Glass   1983

Bernar Hébert 1985 *Fiction et Zone 4*

Morley Markson 1988 *Growing Up in America*

Dominique Païni   1999   Nouvelle(s) Vague(s) — Rétrospective

Shane Walter   2000   *Electronic Manoeuvres*

Patricia Rozema 1987 *I've Heard the Mermaids Singing* [*Le Chant des sirènes*]   Philippe Grandrieux 1999 *Sombre*

Claude Chamberlan / Barbet Schroeder   1985

Barbet Schroeder   1985   *Charles Bukowski Folies Ordinaires*

Suzanne Fletcher 1986   *Sleepwalk*   Sara Driver 1986   *Sleepwalk*

Benoît Poelvoorde / Claude Chamberlan / Rémy Belvaux 1992   Benoît Poelvoorde / Rémy Belvaux   1992   *C'est arrivé près de chez vous*

Ann-Gisel Glass   1986   *Désordre*

Atom Egoyan 1989   *Speaking Parts*

Arsinée Khanjian 1989   *Speaking Parts*

Eddie Constantine 1986 *Seven Women Seven Sins*

Eddie Constantine 1991 *Allemagne année 90 neuf zéro*

Jean-Luc Godard   1985

Daniel Schmid   2001

Edouard Waintrop, *Libération*   1988   Gary Indiana, *Village Voice*   1982   Serge Toubiana, *Cahiers du Cinéma*   1986

Michel Boujut, *Cinéma, Cinémas* 1989   Marcel Jean 1989 *Le Rendez-vous perpétuel*   Henri Béhar, *Le Monde* 1992

Pierre Hébert 1990   Kevin Rafferty 1991 *Blood in the Face*

(Istvan Kantor) Monty Cantsin? AMEN!   1997   *Black Flag*   Romano Orzari   1997   *Burnt Eden*   John Greyson   1998   *Uncut*

Raúl Ruiz   1983   *Les Trois Couronnes du matelot*

Jim Jarmusch   1991   *Night on Earth*

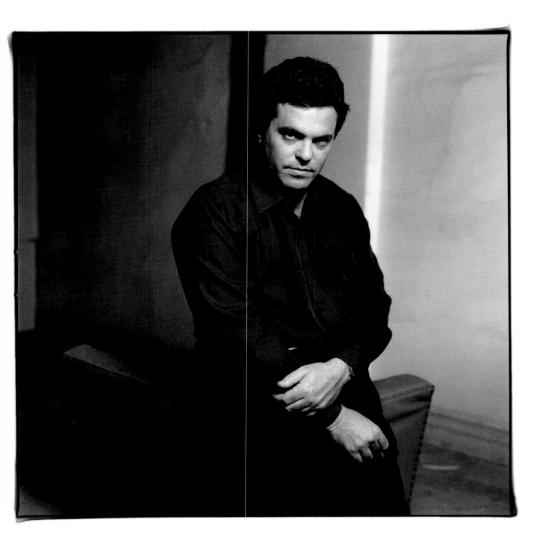

Amos Gitai 1989 *Berlin-Yerushalaim* [Berlin-Jerusalem]   Bill Plympton 1988 *How To Kiss* et *One of Those Days*

Gabriel Arcand 1988 *La Ligne de chaleur*

Jackie Burroughs 1987 *A Winter Tan*

Elsa Zylberstein 1989

Hélène Fillières 2000 *Aïe*

Pierre Arditi 1984 *L'Amour à mort*

Dominic Gould 1990 *Monsieur*

Hanns Zischler   1991   *Allemagne année 90 neuf zéro*

Isaach de Bankolé   1988   *Chocolat*

Patrick Bauchau   1990

Jalil Lespert   2000   *Ressources humaines*

Françoise Lebrun   1998   Rétrospective Jean Eustache

Jean-Luc Bideau   1998   *The Red Violin [Le Violon rouge]*

Renée Shafransky   1983   *Variety*   Dimitri Eipides   1987

Ken McMullen 1983 *Ghost Dance*   Ed Lachman 1983 *Report From Hollywood (The State of Things)*

Werner Nekes   1983   *Uliisses*   Gilles Groulx   1983   *Au pays de Zom*

Jim Stark   1989   *Mystery Train*

Werner Schroeter   1983   *The Laughing Star*

Tom Di Cillo   1991   *Johnny Suede*   Steina Vasulka   1998   *Violin Power*   Rob Rombout   1997   *Amsterdam via Amsterdam*

Jaco Van Dormael 1996 *Le Huitième Jour*   Serge Cardinal 1998 *L'Invention d'un paysage*   Jean-Claude Riga 1998 *Anak Kelana*

Jaime, Andre & Joelle / audiorom 1997   *AudioRom Beta I*   Ray Loriga 1998   *La Pistola de mi hermano* [*My Brother's Gun*]

Jean-Claude Lauzon / Claude Chamberlan   1987

Julian Beck   1983   *Signals Through the Flames*   Peter Kern   1983   *The Laughing Star*

Jean-François Stévenin 1983 *Poussière d'empire*

Georges Rouquier 1983 *Biquefarre* et *Farrebique*

Wim Wenders 1989 *Aufzeichnungen zu Kleidern und Städten* [*Carnet de notes sur vêtements et villes*]

W. Wenders / S. Dommartin / C. Chamberlan

Jane Lawrence Smith   1992   *The Blue Veil*

Claude Miller 2000   *La Chambre des magiciennes*   Miranda Pennell 1999   *Night Work*

Yosuke Nakagawa   1998   *Blue Fish*   Richard H. Kirk   2000   *Subduing Demons*

Gregg Araki 1987 *Three Bewildered People in the Night*   Shuibo Wang 1999 *Swing in Beijing*

Anne-Marie Cadieux 2001

Jean-Paul Labro 1998 *L'Homme bulles*

Ila von Hasperg   1983   *Variety*

Valeria Sarmiento   1983   *El hombre cuando es hombre* [*Un homme, un vrai*]

Eric De Kuyper   1983   *Naughty Boys*

Stephen Dwoskin   1983   *Shadow From Light*

Jacques Dufresne

Robert Kramer 1987 *Doc's Kingdom* / Claude Chamberlan

Jacques Dufresne / Robert Kramer / Claude Chamberlan 1987

photographe

Septième et dernier enfant d'une famille de sept, Jacques Dufresne naît dans une séquence digne du septième art : un 7 juillet, dans un taxi, à Québec. Dès lors, il est né pour le mouvement et l'Image. À l'âge de sept ans, il monte en plein air son premier studio de photo près d'une arène de lutte que son père a fait construire sur un lac qu'il a fait creuser derrière l'un de ses commerces. Armé d'un ours empaillé et aidé dans sa démarche par le photographe québécois Henri Leclerc, il photographie pour « trente sous » les badauds et les lutteurs, tandis que Henri se charge de développer les rouleaux.

Les années 70 et la Crise d'octobre arrivent en même temps que son premier Nikon. Peu après, il devient photographe-pigiste pour La Presse Canadienne, puis est engagé par le journal *L'Action* de Québec qui le dépêche à sa première affectation : photographier un cinéaste de passage dans la capitale. L'homme s'appelle Louis Malle et loge au Château Frontenac. Plus tard, il fait des contrats pour des revues, participe à des expositions, remporte des Coqs d'or pour des maisons de publicité...

Émerge bientôt un goût du voyage et sa carrière de nomade débute avec Woodstock, puis la Californie ; s'enchaînent ensuite l'Amérique du Sud et les Antilles. L'Europe est aussi dans le portrait. Son œil est aiguisé pour le mouvement, le mouvement des âmes. Il étudie celles-ci dans les gares américaines, dans les villages amérindiens, sur les plages d'Asie et d'Amérique centrale.

Jacques Dufresne est un photographe indépendant. Il est de passage sur Terre comme ceux et celles qu'il capte avec son objectif. En cherchant l'image de leurs bonnes étoiles...

photographer

Seventh and last child of seven, Jacques Dufresne was born on the seventh day of the seventh month, in the back of a taxi in Quebec City — truly a birth worthy of the *septième art*! At the age of seven, he started his first photo studio, in the open air, near a wrestling ring on a lake that his father built behind one of his businesses. Armed with a stuffed and mounted bear, and helped by Quebec photographer Henri Leclerc, he photographed, for a quarter, curious onlookers and fighters, while Henri took care of developing the pictures.

During the 1970s and at the height of the October Crisis in the province of Quebec, he came into possession of his first Nikon and, not long after, he became a freelance photographer for the Canadian Press, followed by a stint with Quebec newspaper *L'Action*. His first assignment: to photograph a filmmaker staying at the Château Frontenac, in Quebec. The visiting filmmaker was none other than Louis Malle. Time passed, contracts came, exhibitions as well, and so did prizes and awards… Then he got struck by the travelling bug and his second career as a wandering nomad started: Woodstock, California, South America, the West Indies… and Europe all came into focus in his camera's lens.

Jacques Dufresne's undisputed talent is in capturing movement, the movement of the soul, studied in train stations and airports all over the world, on beaches, buses and in bars. He was a good student; over time, he became an adept at reaching behind the eyes of his subjects to capture the very essence of their being.

Jacques Dufresne is an independent photographer, a simple passenger on this earth like those he photographs, searching for the light that shines through them.

© Wim Wenders

Jacques Dufresne / Kim Massee / Solveig Dommartin 1987   Boulevard Saint-Laurent 1997

Les Nouveaux Cinémas

La Fête lumineuse

Festival international du nouveau Cinéma et des nouveaux Médias de Montréal — FCMM. Un festival qui a osé depuis 30 ans inviter les cinéastes qui osaient, les cinéastes qui réalisaient des œuvres fortes, visionnaires et dérangeantes. Un festival qui a parié sur un public avide à son tour d'oser.

Un auteur+une œuvre+un public : l'équation est, dès le début, au cœur des préoccupations des deux fondateurs du Festival, Dimitri Eipides et Claude Chamberlan. Placé sous le signe de cette triple rencontre, le Festival n'aura de cesse dès lors de conjuguer cinéma avec humain, audace avec passion. Les véritables stars de ce festival sont ces auteurs — ses auteurs —, leurs bobines sous le bras. Et puis, tous ceux qui ne sont pas venus et qui étaient quand même là, le temps d'une projection.

Cette histoire des premiers temps du Festival, ce sont les Zwartjes, Schroeter ou Herzog qui la racontent, par leur présence comme par leurs films. Cinéma engagé ou cinéma formel, la liste des œuvres et des auteurs — autant dire des amis du Festival, qui ont patiné écrans et planchers des lieux chaleureux qui abritent le Festival : le Cinéma Parallèle, le Café Méliès — défie l'anecdote. Ce sont les piliers d'une génération de créateurs audacieux.

À celle-ci succède bientôt de nouvelles générations de créateurs. Le Festival n'arrête pas le temps qui passe, il l'accompagne, il veut le précéder avec ceux qui sont en avance sur leur temps. C'est là que se niche la véritable signification de l'expression « nouveau cinéma », un cinéma en perpétuelle évolution, en perpétuel questionnement, un cinéma qui ne peut plus désormais être associé à une étiquette, à une école ou encore à une forme.

Il ne reste plus qu'à mettre en lumière ceux dont c'est la vocation, ceux qui, justement, font la lumière. Benjamin Baltimore et Claude Chamberlan jettent leur dévolu sur un photographe-portraitiste québécois de talent, Jacques Dufresne. 1983, c'est l'an 01 de cet album, et c'est nul autre que Henri Alekan, le maître des lumières et des ombres, qui sera le premier sujet de Jacques. Mettre en lumière... Les portraits de Jacques sont déjà un prolongement du cinéma. Les stars du nouveau cinéma sortent de l'ombre. Dès lors, ces noms connus, moins connus ou inconnus auront un visage, une attitude. Montréal en fera des stars — ses stars —, avant qu'elles ne deviennent celles du monde entier.

Et pour ces stars turbulentes, le Festival fabriquera un écrin à leur mesure. Pour les accompagner dans leurs folies, il va « s'éclater » : cinéma urbain en plein air, sous l'eau (le fameux « Dive-in », présenté dans un bain public), dans un peep-show, dans un loft, dans une boulangerie, en un cinémarathon-Guinness de 250 heures... Pour se montrer digne de tels amis, le Festival réinvente la projection, entraînant à sa suite des générations de cinéphiles sous le charme.

Ces cinéphiles en redemandent, ils sont exigeants, le Festival leur a appris à l'être. Les années 80 voient l'émergence de la vidéo, un nouveau territoire à conquérir par de nouveaux conquérants. C'est toute l'histoire de l'image en mouvement qui est en jeu. L'image en mouvement, le son et, bientôt, les nouvelles technologies : les années 90 sont celles de l'émergence d'une nouvelle culture, celle des nouveaux médias qui explorent les formes les plus novatrices de la création en s'emparant d'outils numériques de plus en plus performants.

Cela tombe bien car, justement, c'est en quelque sorte ce même projet que poursuit Daniel Langlois lorsqu'il décide de s'investir dans le Festival. Son implication donne au Festival un nouveau souffle lorsqu'il bâtit un nouvel édifice dédié au cinéma et aux nouveaux médias. Ex-Centris, qui abrite les désormais mythiques Cinéma Parallèle et Café Méliès, est un prototype, une vision d'un cinéma à venir qui viendrait briser encore et toujours les carcans traditionnels.

Le Festival est donc plus que jamais prêt à relever de nouveaux défis, en réitérant de belle façon son appartenance au monde de la nouveauté, de l'inédit, de l'aventure et de la provocation.

Montréal est une ville avide de nouveautés. Connaître et faire connaître : le mode d'emploi est simple. Il suffit de prendre la photo des invités du Festival. Alors qu'ils sont entre deux avions, deux films ou deux amours. Sans défenses et sans repères. Dans cet espace si fragile d'un être qui tente de retrouver ses sens. Des images fragiles prises dans une ambiance de Fête lumineuse.

Philippe Gajan
Luc Bourdon
Montréal, septembre 2001

Les Nouveaux Cinémas
A Luminous Feast

Montreal international Festival of new Cinema and new Media — or FCMM. A festival which, for over 30 years, has dared to invite filmmakers who challenge us, filmmakers who make powerful works of art that are visionary, disturbing and daring. In doing so, the FCMM pushed an avid public to dare as well.

One creator+one work+one public was an equation that, right from the start, ignited the imagination of the two Festival founders, Dimitri Eipides and Claude Chamberlan. Born under the sign of this triple encounter, the Festival has never looked back and has continued to show audacious and passionate films. The true stars of this festival are the human beings, creators and authors, with their film cases, spools and reels in hand — and, of course, those who couldn't make it but whose presence was felt on every screen.

The early days of the Festival is a story signed by the likes of Zwartjes, Schroeter or Herzog, who imbued it with light, as much through their character as through their films. Experimental, political, or social, the cinematic works and their authors — more like friends of the Festival, pathfinders whose works shined, paving the way for those who would follow them — are so much more than simple anecdotes. They are the pillars of a generation of audacious creators.

And then there are the new generations of creators. The Festival doesn't stop time; rather it accompanies it, always striving to be on the cutting edge of the medium. This is where the expression "new cinema" finds its true meaning: a cinema that is constantly renewing itself, reinventing itself, questioning itself — a cinema that can never be associated with a school, form or trend.

All that's left, then, is to turn the spot on those whose vocation it is to make the stars sparkle. Benjamin Baltimore and Claude Chamberlan choose talented Quebec portrait photographer Jacques Dufresne, to immortalize the figures passing through this Festival space. The year is 1983, and it's ground zero of this book. None other than Henri Alekan, the master of light and shadow, is the first subject. Jacques' portraits are an extension of cinema, reaching into the shadows to find the stars of new cinema, known and unknown alike, giving them a face, an attitude. Montreal made all of them stars — its stars — before they became stars to the rest of the world.

And, just for those important and turbulent stars, the Festival created silver platters to display their cinematic madness: urban outdoor screenings under the night sky, underwater screenings (who can forget the infamous "Dive-in," presented in a public swimming pool?), in a peep-show, a loft, a bakery — and let us not forget the mammoth Guinness record-holding 250-hour cinemarathon. To prove itself worthy of its invaluable friends, the Festival reinvented the concept of cinema projections over and over, winning a whole new generation of cinema lovers with its daring, brash insolence.

But cineastes and cinephiles are a demanding lot — the Festival has taught them to be! They want more. The 1980s saw the emergence of video, a new territory to be conquered by new cinematic conquistadors. The history of the moving image was once more being rewritten. Images, sound and, soon, new technologies were witness to this evolution: the 1990s saw the arrival of a new culture, that of the new media, exploring innovative creative forms using high-performance digital tools.

In a way, this was exactly the type of project that Daniel Langlois was pursuing when he decided to embark upon the Festival's adventures. His implication offered a second wind to the Festival. The construction of a brand new building complex dedicated to cinema and new media gave the Festival wings, propelling it high above its contemporaries. Ex-Centris, which also houses the now legendary Cinéma Parallèle and Café Méliès, is a prototype, a vision of cinema's future, freed of the traditional shackles that bind it.

The Festival has never been more ready to raise the bar of expectation higher, reiterating once more its dedication to the innovative, the uncensored, the audacious and the provocative.

Montreal is a city hungry for the new. To know and to make known: the how-to is easy. Taking photos of the Festival's guests; between planes, between films, between lovers — defenceless and with nowhere to hide — in this fragile space between light and dark, where humans try to come to their senses. Ephemeral flickering images captured in the ambient light of a luminous Feast.

Philippe Gajan
Luc Bourdon
Montreal, September 2001

Dans le cadre des célébrations entourant le 30ᵉ Festival international du nouveau Cinéma et des nouveaux Médias de Montréal, l'équipe du Festival tient à remercier tout particulièrement :

LA FONDATION DANIEL LANGLOIS POUR L'ART, LA SCIENCE ET LA TECHNOLOGIE
pour sa généreuse contribution

et

LA SOCIÉTÉ DE DÉVELOPPEMENT DES ENTREPRISES CULTURELLES – QUÉBEC (SODEC)
TÉLÉFILM CANADA
LE MINISTÈRE DES AFFAIRES MUNICIPALES ET DE LA MÉTROPOLE
pour leur soutien financier.

Les éditions Les 400 coups souhaitent remercier le Conseil des Arts du Canada de l'aide accordée à leur programme de publication et la SODEC pour son appui financier en vertu du programme d'aide aux entreprises du livre et de l'édition spécialisée.

Les éditions Les 400 coups bénéficient de l'aide financière du gouvernement du Canada par l'entremise du Programme d'aide au développement de l'industrie de l'édition (PADIÉ) pour leurs activités d'édition.

DIFFUSION AU CANADA
Diffusion Dimedia inc.
539, boulevard Lebeau
Saint-Laurent (Québec) Canada
H4N 1S2

Dépôt légal – 4ᵉ trimestre 2001
Bibliothèque nationale du Québec
Bibliothèque nationale du Canada

ISBN : 2-89540-066-0

PHOTOS DE COUVERTURE
Wim Wenders, 1989 © Jacques Dufresne

Dimitri Eipides / Claude Chamberlan   2000

LES NOUVEAUX CINÉMAS

a été publié sous la direction de Luc Bourdon, en collaboration avec Serge Théroux (Les éditions Les 400 coups).

DIRECTION ARTISTIQUE
Benjamin Baltimore
assisté d'Olivier Broncard

NOTES ET CONTRE-NOTES
Claude Chamberlan
Dimitri Eipides

COORDINATION DE PUBLICATION
Claire Valade

TIRAGE DES PHOTOS
Louis-Félix Péloquin

RECHERCHE
Natasha Bobouwski
Philippe Gajan
Philippe Gendreau

RÉDACTION / CORRECTION
Louise Chabalier
James Galwey
Claire Valade

ADMINISTRATION
Marie-Dominique Bonmariage
Renée Hudon, Rudy Laurent, Sylvie Roche

LABORATOIRE DE PHOTOGRAVURE
Transparence [Paris]

IMPRIMEUR
Litho Mille-Îles Itée [Terrebonne]

Roger Diamantis   Dai Sije   Edmund Elias Merhige   Stéphane Elmadjian   Swetlana Proskurina

Emmanuel Finkiel   Jonathan Nossiter   Nicolas Philibert   Jill Godmilow   Alex Mayhew

Cinqué Lee   Emmanuel Maa Berriet   Hervé Bensimon   Richard Leacock   Velcrow Ripper